El maravilloso poder curativo del ajo

Ma. Esther Centeno Canal

El maravilloso poder curativo del ajo

DELFÍN EDITORIAL

Editor y coordinador: F. Ramón Mendoza Ruiz

Autor: Ma. Esther Centeno Canal

Diseño de portada: Kathia Recio

Ilustración de interiores: Juan Bellalussca

Diseño, formación y corrección: Alejandro Barbosa

Producción: Benjamín Montoya

Av. Miguel Bernard 457 And. 11/121
Col. San José Ticomán
México, D.F. CP 07340
e-mail: delfineditorial@prodigy.net.mx
Tel./Fax (55) 57 52 72 71

Miembro de la Cámara Nacional de la Industria
Editorial Mexicana – Reg. Núm. 3451

© Primera edición: enero 2010

D.R. Derechos Reservados

ISBN-978-607-7942-14-6

Colección: **Más Lectores**

Impreso en México
Printed in Mexico

Índice

Introducción

El ajo es una planta hortense de la familia de las liliáceas. Se le conoce en todo el mundo por sus propiedades medicinales y por su aroma fuerte y singular, que lo hacen un condimento excelente.

Presenta un bulbo semirredondo que conocemos como "cabeza", el cual consta de varios gajos, a los que comúnmente se les denomina "dientes", recubiertos por capas de piel delgadísima. Constituye la base del bulbo una pequeña raíz fibrosa.

La planta es de hojas blancas, con una vaina que recubre el tallo y delicadas flores blancas con tonos rojizos o violáceos. El fruto es chico, en forma de cápsula.

Florece en primavera y verano; requiere abundante luz solar, tierra fértil y buen riego durante la floración.

En zonas frías de Europa entierran paja o ponen una capa de ella en la tierra para amortiguar las heladas para que no afecten los cultivos.

Son más de 200 las especies de ajo en el orbe; la más conocida es el *Allium sativum*.

En los suelos ricos en humus de los bosques de Europa crece el *Allium ursinum* o ajo de oso, que se emplea en ensaladas y su consumo se extiende también al campo medicinal, pues es vermífugo; o sea, que expulsa o destruye las lombrices intestinales y favorece la digestión.

Los habitantes de la Grecia antigua llamaban "rosa apestosa" al ajo, y a toda persona que estuviera impregnada de su olor le negaban el ingreso al templo de Cibeles.

Dioscórides, médico griego del siglo I, realizó la primera descripción de las propiedades medicinales del ajo. Para entonces ya se sabía que el jugo de ajo curaba úlceras que no cicatrizaban e inflamaciones de la piel.

La gente común se trataba con ajo la tos y las enfermedades intestinales, y los médicos lo recetaban a quienes padecían anemia para estimular el apetito.

Alfonso X, El Sabio, no toleraba tan peculiar aroma, por lo que prohibía a sus caballeros el consumo de ajo, bajo la amenaza de expulsarlos temporalmente de la Orden de Caballería a la que pertenecieran.

En 1858, el biólogo y químico francés Luis Pasteur, inventor del método de pasteurización para conservar y desinfectar la leche y descubridor de la vacuna contra la rabia, usaba el ajo como antiséptico.

Durante las dos guerras mundiales que caracterizaron al siglo xx, médicos militares aplicaron jugo de ajo sobre las heridas para evitar infecciones y gangrena.

En 1954, un científico de la Unión de Repúblicas Soviéticas Socialistas descubrió que bacterias en cultivo no sobreviven más de tres minutos cuando se les rocía jugo de ajo.

Hoy por hoy, el ajo continúa en la tradición de los pueblos como un auxiliar valioso para preservar la salud y como remedio curativo o complementario en diversidad de casos.

Composición

El nombre científico latino del ajo es *Allium sativum*, que revela sus características gustativas; proviene de la antigua voz celta *all*, que significa "urente"; es decir, que causa escozor, que abrasa o que es picante.

También se considera que el término latino *allium* procede de *halo*, "echar olor".

La antigua *Farmacopea Mexicana* refiere que el ajo, "además del tejido celular, contiene de 50 a 60% de agua, 35% de mucílago, albúmina, azúcar, almidón y cerca de 0.25% de un aceite volátil acre", el ácido alílico, al cual debe su olor y sabor característicos.

Este ácido es antiséptico, calorífico, estimulante, diurético, rubefaciente (enrojece la piel) y carminativo (evita y expulsa gases que se producen en el aparato digestivo).

Adicionalmente, en el ajo se encuentra un aceite esencial azufrado, que es el disulfuro de alilo; alina, alisina, azufre, calcio, fósforo y potasio; y vitaminas A, B_2, C, D y PP o nicotinamida, y sustancias que regulan la digestión y el funcionamiento del intestino.

Propiedades curativas

El ajo es un desinfectante y bactericida muy fuerte que supera al alcohol y al limón; tiene propiedades semejantes a las de la penicilina, con la ventaja de que no causa efectos secundarios.

Las virtudes *cuasi* milagrosas del ajo se aprovechan al máximo si se utiliza en estado natural, crudo y entero. Su potencia es mayor si se combina con limón. Sin embargo, las recetas curativas que lo incluyen cocido, de todas maneras son efectivas.

Es magnífico depurador, hipotensor, antiséptico, tonificante, vermífugo, anticatarral, desinfectante, antirreumático, antigotoso y febrífugo (baja la fiebre).

Se recomienda contra hemorragias, diabetes, colesterol alto, infecciones, problemas respiratorios, colitis, gangrena, tumores internos y externos, cáncer.

Contribuye a sanar las heridas, deshace coágulos en arterias, corazón y pulmones, evitando la trombosis coronaria, el infarto de miocardio y las embolias.

También retrasa el envejecimiento; ingerido en ayunas o con la ensalada de la comida ayuda a mantener la juventud, pues hace la sangre más fluida, activando la circulación y la energía.

De acuerdo con el naturista y trofólogo Nicolás Capo, el ajo "rejuvenece nuestros órganos motores, especialmente el corazón, los pulmones, el estómago, los riñones, el páncreas, el cerebro y las arterias".

Sangre limpia y longevidad

En Inglaterra y Japón el ajo se emplea para disolver los coágulos de la sangre y evita su formación, los cuales son problemas frecuentes en edad avanzada. No contar con un buen anticoagulante puede generar males mayores, como embolias e infartos de miocardio.

Esta cualidad del ajo es benéfica igualmente para quienes padecen edema (retención de líquidos), tuberculosis, bronquitis o pleuresía (agua en los pulmones).

El ajo crudo purifica y beneficia la fluidez de la sangre a los 45 minutos de haberlo ingerido.

Por su acción tónica poderosa, el ajo favorece grandemente el funcionamiento cardiaco, al limpiar la sangre y permitir un mejor riego en general, en especial en las coronarias, que alimentan al corazón. Todo ello conduce a evitar:

- Esclerosis.
- Envejecimiento arterial.
- Endocarditis.
- Aneurismas.
- Asma.
- Parálisis.
- Fatiga y melancolía.
- Angina de pecho.
- Reúma.
- Ciática.

Igualmente, su consumo habitual en cantidad significativa logra que los adictos al tabaco y al alcohol sientan aversión por su antiguo vicio.

Adiós reúmas

El ajo no sólo deshace **coágulos**; también colesterol, cristales de ácido **úrico** **y acumulaciones de otros** desechos orgánicos en las articulaciones, arterias, venas y corazón, por lo que cura y evita el desarrollo de reúmas y gota.

De manera concomitante, mejora la digestión y mantiene limpio el intestino, lo cual es muy importante para evitar toxinas que al paso del tiempo generarán enfermedades.

La manera más práctica de ingerirlo es con las ensaladas a la hora de la comida: acompañado con pepino, lechuga, rábano, cebolla, germinado de soya, lenteja o alfalfa, etc., y el imprescindible limón.

Si se incluye jitomate, se recomienda no bañar con limón, por la acidez de ambos, que puede dañar las paredes del estómago.

En general, las ensaladas se acompañan también con aceite de oliva virgen, de preferencia, que es un aceite prensado en frío y, por tanto, más digestivo que otros, favorable para el hígado y las arterias.

Si no se puede masticar la verdura, se licua todo hasta formar un puré y se toma lentamente, saboreando y ensalivando bien cada trago. Se puede aligerar con un poco de jugo y añadirle ajonjolí tostado en polvo para enriquecer su sabor.

Los terapeutas naturistas y los médicos en general consideran que si fuese posible conservar la fluidez de la sangre, aumentaríamos nuestra calidad de vida y longevidad.

¡Salud! por el ajo

Es imprescindible tener presente que la mejor forma de consumir el ajo es crudo, pues al cocerlo, sea hervido o frito, pierde 90% de sus cualidades medicinales y antisépticas.

Si el estómago funciona bien, después de comer ajo no queda olor; pero si hay dispepsia o dilatación, no secreta sus jugos de manera suficiente y sus músculos y repliegues son débiles, entonces no puede procesar adecuadamente el ajo.

Cuando usted consuma ajo, inicie con una cantidad pequeña, por ejemplo, un solo diente chico, mastíquelo y ensalívelo bien, tómelo con limón, agua, caldo de verduras, ensalada, guacamole o friccione un ajo partido en un pan tostado.

Aumente uno al paso del tiempo, con la lentitud o rapidez que su organismo acepte.

Si no tiene costumbre de ingerirlo crudo, no pretenda comer en una sola vez tres o cuatro dientes de ajo, pues sólo generará rechazo hacia él por la sensación de calor o ardor que dejará en las mucosas de la boca, la garganta y el estómago, aparte de que adondequiera que vaya dejará una fuerte estela de olor.

Tómelo con calma; piense en que el organismo trabaja mejor cuando se es considerado con él, no violento ni agresivo. Tenga presente que su cuerpo es su vehículo de existencia y merece mantenerlo bien para que le dure en buenas condiciones.

Así, desarrolle con amor a sí mismo y conciencia nuevos hábitos, como incluir ensalada en su comida diaria con su diente de ajo picado o marinado en aceite o crema.

El organismo empezará a aceptarlo paulatinamente y le dará gusto consumirlo. Recuerde que después de ingerirlo convendrá comer perejil, cilantro, hierbabuena, apio u hojitas de menta para que no queden residuos de olor en la boca.

También puede masticar papel y después enjuagarse o tomar té de manzanilla, zacate limón, hierbabuena, menta, tomillo, eucalipto, romero, etcétera.

No se recomienda combinar el ajo para *fines curativos* con harinas, féculas (por el almidón: panes, sopas de pasta, pizzas, camote, papa, etc.), ni proteínas (carne, huevo, etc.), ya que perdería muchas de sus propiedades medicinales.

Al incluir habitualmente ajo crudo en la comida se respira mejor y se produce menos cansancio, toda vez que la circulación se optimiza.

En la siguiente sección se presentan sugerencias de diversas curas de ajo, entre las que usted puede elegir de acuerdo con sus circunstancias.

El profesor Capo considera que el ajo no daña a enfermo alguno, no importa qué enfermedad padezca. El elemento activo del ajo, que es el ácido alílico, es un poderoso destructor de toxinas.

Es sano y muy conveniente acostumbrar a los niños desde los dos o tres años de edad a consumirlo. Una sugerencia fácil de aplicar es frotar con ajo una rebanada de pan.

Se aclara que es para habituar a los pequeños al sabor y aroma del ajo, no con fines medicinales. Para esto último, el pan no es un buen aliado, sino manzana y limón, o aguacate con pepino, limón y cilantro.

El ajo siempre se utiliza pelado.

Tratamientos con ajo

Las siguientes cinco curas de ajo deben observarse durante cinco días consecutivos. Puede añadirse un diente de ajo cada día.

Se descansan otros cinco días y se repite el ciclo, si se desea.

Cura de ajo 1

Coma dos o tres dientes de ajo crudos en ayunas, al levantarse; igual cantidad antes de comer, con jugo de limón, y una tercera dosis, también con limón, antes de cenar.

En caso de que le parezca irritante, píquelo finamente y tómelo con agua sin masticar. O macháquelo y remójelo en un vaso de vidrio con agua caliente toda la noche, tapado; por la mañana cuele y beba el líquido.

Si las circunstancias lo requieren, se puede incluir una cuarta dosis antes de dormir.

Cura de ajo 2

Ingiera dos o tres dientes de ajo crudo en ensaladas y comidas o sopas de verduras tres o cuatro veces al día. Durante los días que se observe esta disciplina, hay que evitar comer pescado, carne y harina.

Cura de ajo 3

Combine el ajo con caldo de cebolla o de poro; cuando esté listo el caldo añada ocho o nueve almendras crudas peladas y molidas.

Para desprender la cutícula de las almendras, que es irritante, remójelas en agua durante una o dos horas.

Acompañe este caldo con tres o cuatro dientes de ajo crudo.

Cura de ajo 4

Ralle zanahorias crudas y combínelas con tres dientes de ajo crudo. Bañe con jugo de limón y aceite de oliva. Puede ingerir tres veces al día.

Cura de ajo 5

Esta cura en realidad es más bien un hábito. Se trata de consumir con regularidad tantos dientes de ajo como su organismo acepte sin inconvenientes.

Cura tibetana de tintura ajo

En 1972, en el interior de un monasterio budista en las montañas del Tíbet, fue hallada la receta de una tintura de ajo y su aplicación para curar numerosas enfermedades y desequilibrios del organismo:

1. Arteriosclerosis.
2. Artritis.
3. Artrosis.
4. Deshace los coágulos de la sangre.
5. Disturbios de la vista.
6. Disturbios del oído.
7. Dolor de cabeza.
8. Elimina cálculos depositarios.
9. Enfermedades broncopulmonares (asma, bronquitis, etc.)
10. Gastritis.
11. Hemorroides.
12. Hipertensión.
13. Isquemia.
14. Limpia todo el organismo y, por tanto, éste trabaja mejor.
15. Los vasos sanguíneos se hacen elásticos.
16. Mejora el metabolismo.
17. Reduce el peso corporal volviéndolo a la normalidad.
18. Reduce todo tipo de tumores internos y externos.

19. Remueve las grasas de todo el cuerpo.
20. Restablece la normalidad en el diafragma y el miocardio.
21. Reumatismo.
22. Sinusitis.
23. Trombosis cerebral.
24. Úlceras del estómago.

Para obtener resultados óptimos es preciso ser constante en la ingestión de la tintura, sin desesperarse, porque la recuperación es lenta pero segura.

Para preparar esta maravillosa receta se necesitan:

350 g de ajo triturado pelado
¼ de aguardiente
Frasco de vidrio con tapa

El ajo triturado se vacía en el frasco junto con el aguardiente, se cierra herméticamente y se mete en el refrigerador, donde permanecerá durante diez días.

Al término de ese tiempo se filtra con un colador fino de manta. Se vacía de nuevo en el tarro y se mete otros dos días en el refrigerador, ya sin los ajos.

Dosificación

Pasados los dos días la tintura ya está lista para empezar el tratamiento. Deberá tomarse el número de gotas indicado para cada día con un poco de leche o agua antes de las comidas de acuerdo con el siguiente programa:

Día	Desayuno	Comida	Cena
1	1	2	3
2	4	5	6
3	7	8	9
4	10	11	12
5	13	14	15
6	16	17	18
7	17	16	15
8	14	13	12
9	11	10	9
10	8	7	6
11	5	4	3
12	2	1	25

A partir del día 13 continuará tomando 25 gotas tres veces al día hasta terminar la tintura.

Advertencia muy importante: Esta terapia no se deberá repetir antes de cinco años, para evitar consecuencias desagradables en el organismo.

Remedios caseros

Aceite para dolor de oído

Un diente de ajo machacado o picado
50 ml de aceite de oliva

En un frasco de vidrio ponga a macerar el ajo en el aceite durante unos minutos. Aplique unas gotas en el oído diariamente hasta sanar.

Para mejor resultado, entibie ligeramente en "baño María" el aceite que va a aplicarse, pero no se exponga a corrientes de aire o frío.

Champú para infecciones en el cuero cabelludo

Un jabón de coco pequeño
Un litro de agua
4 cucharadas de ajo en polvo
2 cucharadas de clorofila
Una cucharadita de aceite perfumado

Disuelva el jabón en el agua en "baño María"; después agregue el polvo de ajo y remueva hasta que el agua se consuma a la mitad. Entonces adicione la clorofila y el aceite perfumado.

EXTRACTO DE AJO

En un frasco de vidrio con tapa introduzca la cantidad de ajo que desee, pelado, ya sea entero o partido en dos o más pedazos; cubra con alcohol o vinagre de manzana y tape.

Deje macerar durante 20 o 30 días pero agite diariamente. Al final del tiempo filtre y guarde el líquido, que es un magnífico extracto.

Tome 20 gotas en igual cantidad de agua durante un mes antes de las comidas, descanse una semana y reanude una vez más.

JARABE BÁSICO

Hierva a fuego lento una parte de ajo, dos de agua y dos de azúcar. Mueva de manera continua hasta que espese. Tome de dos a tres cucharadas al día.

Este jarabe es para quienes no deseen consumir el ajo crudo.

Jarabe contra tos y bronquitis

10 dientes grandes de ajo picados
Una cebolla en rodajas
Jugo de limón
6 cucharadas de miel de abeja

Remoje el ajo y la cebolla en suficiente jugo de limón que los cubra; utilice un recipiente de vidrio. Al

día siguiente retire el ajo y la cebolla y añada la miel; mezcle perfectamente.

Tome un trago de este jarabe cada vez que sienta molestias.

Jarabe para vías respiratorias

15 dientes de ajo picados
200 g de miel de abeja

Caliente en "baño María" la miel en un frasco de vidrio con tapa y añada el ajo; revuelva durante 15 o 20 minutos. Retire del fuego y saque los ajos.

Este jarabe con el frío cristalizará, pero no debe volver a calentar la miel. Consuma pequeños trozos como si fuesen caramelos. Este preparado le durará mucho tiempo, incluso años.

Lavativa de ajo

Hierva 300 ml de agua, añada tres dientes de ajo machacados, tape y deje entibiar. Retire el ajo y agregue una yema de huevo; revuelva bien.

Realice la lavativa reteniendo el mayor tiempo que le sea posible, máximo media hora.

Esta terapia limpiará su intestino de oxiuros y lombrices. Se recomienda realizarla en ayunas, después de ir al baño, e ingerir ese día sólo alimentos crudos (ensaladas y frutas).

LECHE ANTIPARÁSITOS

Remoje cinco dientes de ajo en una taza de leche y cueza en "baño María" durante unos minutos; endulce con miel. Útil para expulsar parásitos, incluso tenia.

Complemente con una dieta de alimentos frescos y crudos, tales como ensaladas y/o frutas.

POMADA PARA EL PECHO

Una cabeza de ajo
Una barrita de mantequilla

Triture el ajo y mézclelo con mantequilla ablandada o derretida. Ponga a cuajar en un tarro de vidrio con tapa; no necesita refrigerar, a menos que haya mucho calor.

Frote el pecho en casos de tos ferina, asma bronquial y resfriados. Desde luego, nunca la use fría, para no agravar a su paciente.

Pomada contra los callos

Un diente de ajo
Mantequilla
Leche (opcional)

Cueza el ajo en el horno o a "baño María" en un recipiente con tapa; macháquelo y mézclelo con un poco de mantequilla hasta formar una papilla.

Frote abundantemente sobre los callos y deje encima una capita de pomada. Si lo requiere, proteja con una gasita y cinta adhesiva. Hágalo diariamente para ablandar los callos dolorosos.

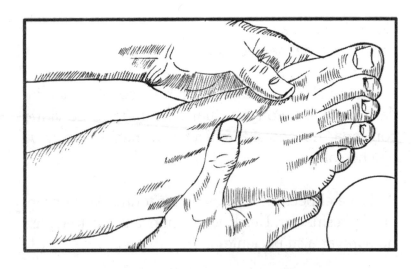

Para el mismo efecto puede hervir el ajo con leche y formar el puré en la licuadora o en un mortero. En este caso no necesita usar mantequilla.

REMEDIO PARA PIE DE ATLETA

2 cucharadas de ajo en polvo
Agua tibia

Diluya el polvo de ajo en el agua que requiera para remojarse los pies en una palangana. Permanezca con los pies en el agua durante 15 a 20 minutos diariamente por la noche.

Al término de ese lapso séquese bien, especialmente entre los dedos, para que no conserven humedad.

TAPÓN PARA HEMORRAGIA NASAL

Vinagre
Un diente de ajo
Una gasa pequeña

Remoje en el vinagre la gasita y exprima sobre ella un diente de ajo con un exprimidor especial o para limón, que no sea de fierro, o machaque el ajo sobre la gasita.

Envuelva el ajo en la gasita y forme un tapón que colocará en su fosa nasal.

TÉ PARA VÍAS RESPIRATORIAS

Una taza de agua
10 bugambilias
2 dientes grandes de ajo
Gotas de limón
Miel de abeja

Caliente el agua; cuando hierva baje el fuego y adicione las bugambilias; después de tres minutos añada los ajos; apague pasados cinco minutos.

Endulce con miel de abeja y vierta unas gotas de limón. Tómelo tres veces al día antes de los alimentos.

TINTURA RUSA PARA GOTA, REÚMA
Y CÁLCULOS RENALES Y DE VEJIGA

5 cabezas de ajo
½ litro de vodka

Machaque todo el ajo, deje reposar en el vodka en un frasco de vidrio con tapa a temperatura ambiente de ocho a 10 días.

Al final de ese plazo retire los ajos. Ingiera media cucharadita tres veces al día.

Contraindicación: En caso de padecer inflamación de riñones, consulte a su médico y a su nutriólogo.

Tips para la salud

La medicina popular ha desarrollado innumerables formas de utilizar el ajo para casos de:

Amígdalas inflamadas, catarro, gripe, inflamación de los oídos y de la mucosa de los ojos, pulmonía, tos ferina, sobre todo cuando están en sus comienzos: La inhalación de ajo machacado es una ayuda eficaz, ya que las pequeñas dosis de sustancias volátiles que despide el ajo matan los microbios patógenos.

Ateroesclerosis, hipertensión, insomnio, jaqueca, sedentarismo, várices, vértigo: Incluir en la ensalada o en la comida dos o tres dientes de ajo crudo todos los días.

Bronquitis u otro problema respiratorio: Ingerir ajo crudo, cebolla, limón y rábanos con la comida.

Cabello débil, de caída fácil: Se reafirma con fricciones en el cuero cabelludo de jugo de ajo o dientes de ajo recién cortado.

Colitis: Añada a la ensalada inicialmente un diente de ajo; si no tiene costumbre, no exagere para no irritar su colon. Es recomendable acompañar con manzana y limón.

Desinflamar y descongestionar: Ungüentos que pueden conseguirse en farmacias, tiendas naturistas y mercados.

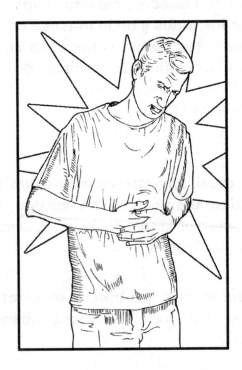

Enfermedades gastrointestinales infecciosas: Consuma con la comida por lo menos dos dientes de ajo crudo, cebolla y bastante limón.

Estreñimiento: Consumir dos o tres dientes de ajo con la ensalada, a la que deberá habituarse y tomarle gusto para eliminar de por vida el problema y mantener saludable su intestino y su recto, además de evitar problemas colaterales como diverticulosis, dolor abdominal y de cabeza, hemorroides, intoxicación de la sangre, mal olor, malestar, pesadez, etc. No debe faltar la fibra en la alimentación: nopal crudo, zanahoria rallada, jícama, pepino, hierba y todo tipo de fruta, en especial tamarindo y ciruela pasa. Tome dos litros de agua al día.

Ictericia: En algunos lugares complementan el tratamiento con aceite de ajo.

Infección en la boca: Ingerir de uno a dos dientes de ajo diariamente. En caso de presentar acidez, hay que moderar su consumo, pues ello indicará que lo ha ingerido en demasía.

Infecciones peligrosas como cólera, disentería, hepatitis, tifus y tuberculosis: Inhalar y consumir el ajo es un valioso auxiliar en sus tratamientos.

Piel, problemas como aspereza, eczemas crónicos, raspones, tiña y verrugas: Aplique el ajo crudo ya sea partido a la mitad o machacado, una o dos veces al día. En casos extremos, tres veces.

Tabaquismo: Para desintoxicar de nicotina el organismo, consuma dos o tres ajos con la comida, tome tres tazas de té de cola de caballo diariamente y practique respiraciones profundas cuantas veces le sea posible. Silbe las canciones que más le gusten. Practique curas de ajo periódicamente.

Trabajo intelectual: Consumir diariamente por lo menos dos dientes de ajo para estimular el funcionamiento del cerebro, el corazón y las glándulas sexuales.

Tumores: Investigaciones con animales demuestran que si en sus alimentos se incluye el ajo, se detiene el crecimiento de tumores benignos o malignos. En Japón se han inyectado células cancerosas tratadas previamente con extracto de ajo, aumentando lentamente la dosis, sin que los animales lleguen a desarrollar el cáncer. Es de gran ayuda una cataplasma de ajo machacado, dátiles y miel caliente puesto sobre el tumor, así como en furúnculos, ántrax, abscesos y granos.

Recetas medicinales

CALABAZA DE OTOÑO

Una calabaza de pulpa naranja
Pesto de ajo
Jugo de limón al gusto

Cueza la calabaza en "baño María" o al horno y aderécela con pesto y jugo de limón.

Este platillo es energético y depurativo; se recomienda ampliamente para diabéticos y para quienes tienen poco apetito.

CALDO COCIDO OXIDANTE

3 o 4 litros de agua
6 dientes de ajo picados
12 cebollas en rodajas
5 o 6 zanahorias picadas

5 rábanos picados
3 nabos tiernos picados
2 tallos de apio o hinojo
Limones

Ponga a hervir el agua, y cuando entre en ebullición integre la verdura; deje en el fuego 90 minutos con la olla tapada. Cuele cuando vaya a servirse y añádale el jugo de un limón.

La dosis adecuada es de un cuarto de litro cada dos horas, y cada vez que lo tome, entíbielo. Si desea, agregue dos cucharadas de aceite de oliva. Se recomienda tomar el caldo durante el tiempo necesario hasta que la fiebre o la dolencia desaparezcan. También es idóneo para convalecientes, débiles y fatigados.

CALDO CRUDO OXIDANTE

2 litros de agua
12 limones, el jugo
2 cebollas
Una vara de apio o una rama de hinojo
6 dientes de ajo
3 rábanos o 2 zanahorias

Licue todo, salvo el jugo de limón, y vierta en una jarra de vidrio. Añada el jugo de limón y cuele conforme lo vaya tomando. Consuma todo el mismo día y repita al día siguiente hasta que baje la fiebre o mejore su estado. Se recomienda para casos semejantes a los citados en la receta anterior.

CALDO DESINFLAMANTE

2 litros de agua
600 g de manzanas grandes picadas
200 g de cebollas en rodajas o picadas
4 dientes de ajo picados
½ cucharadita de miel

Cuando el agua empiece a hervir agregue los demás ingredientes y cueza a fuego suave hasta que el agua se reduzca a la mitad.

Cuele la porción que va a tomar, caliéntela ligeramente y añádale media cucharadita de miel. Tome pequeñas dosis lentamente.

Si se trata de un padecimiento agudo, como tos o mucha inflamación, ingiérase cada 15 o 30 minutos.

Una dosis recomendable es una taza cada hora durante los días necesarios hasta que el padecimiento desaparezca.

También puede tomarse entre comidas, y de preferencia media hora antes de los alimentos, sobre todo en casos de enfermedades crónicas.

ENSALADA FORTIFICANTE

2 lechugas, la parte tierna
Un pimiento rojo en tiras
2 corazones de alcachofa
4 o 5 nueces picadas
50 g de aceitunas verdes
Una cebolla picada finamente
4 ramas de perejil picado

6 dientes de ajo picados
2 jitomates, el jugo
2 cucharadas de aceite de oliva

Acomode de forma estética en la ensaladera los ingredientes sólidos y báñelos con el jugo de tomate y el aceite de oliva.

Licuado antioxidante

3 dientes de ajo
Una rebanada grande de papaya

Una rama de perejil
Un limón, el jugo
3 naranjas, el jugo
Miel al gusto

Licue todo y tómelo en ayunas con frecuencia. Le ayudará a eliminar los nocivos radicales libres generadores de cáncer, problemas nerviosos, dolor de cabeza, acné, etcétera.

Mantendrá limpio su aparato digestivo, evitará el estreñimiento, fortalecerá sus defensas, pues abunda en vitamina C, contribuirá a reducir la acidez de la sangre; es un depurador efectivo y, además, un aliado valioso para mantener la línea.

Pesto de ajo

2 cabezas de ajo peladas machacadas
3 ramas de perejil picadas
Una vara de apio picada
Una rama de albahaca picada
Una rama de menta picada
2 jitomates picados
Aceite de oliva, mantequilla o queso panela

Mezcle perfectamente los primeros cinco ingredientes y al final adicione el aceite, la mantequilla o el queso.

Este aderezo es altamente medicinal y armoniza muy bien con ensaladas, sopas y guisados.

Sopa de verduras mineralizante

2 litros de agua
3 hojas de col verde
3 hojas de lechuga
2 calabacitas
2 hojas de acelga
Una vara de apio
Un nabo
Una zanahoria
½ cebolla
Ejotes
Chícharos frescos
Aceite
Una cabeza de ajo pelada y machacada
Un pimiento verde o rojo picado
4 jitomates picados
Perejil picado

Caliente el agua; cuando suelte el hervor ponga los primeros diez ingredientes, y cuando estén semi-cocidos, adicione un sofrito preparado con los dientes de ajo machacados, el pimiento y los jitomates. Mantenga tapada la olla. Sirva con perejil.

SOPA MINERALIZANTE DE CHÍCHAROS

Un litro de agua
Un kilo de chícharos frescos
3 cucharadas de aceite
4 cebollines picados
4 jitomates machacados
6 dientes de ajo picados
Perejil picado
Un pimiento morrón
Una cucharadita de harina de trigo integral tostada
Una cucharada de piñones o almendras peladas picadas
2 huevos duros picados
Sal al gusto
Pan integral tostado (opcional)
Castañas (opcional)
Camotes asados (opcional)
Manzanas crudas o asadas (opcional)

Hierva los chícharos en el litro de agua. En una cacerola ponga a dorar en el aceite los cebollines; agregue los jitomates, tres dientes de ajo, el perejil y el pimiento morrón. Disuelva la harina en una taza del caldo.

Cuando los chícharos estén casi a punto, integre el sofrito anterior. Ya que todo se haya cocido bien, añada la harina desleída, sazone al gusto y adicione los piñones o almendras. Apague el fuego después de un par de minutos.

Sirva con pedacitos de huevo cocido y ajo picado o en jugo. Puede acompañar con pan integral tostado, castañas o camotes asados. Como postre se recomienda la manzana.

TORTILLA DE AJO

6 cabezas de ajo tiernas
2 zanahorias en rodajas
3 ramas de espinacas picadas
Aceite
Un huevo

Ensalada

3 hojas de lechuga
2 rábanos
4 o 5 aceitunas negras
2 limones, el jugo

Pele los dientes de ajo y córtelos a la mitad o píquelos, póngalos en aceite caliente en la sartén y fríalos con la zanahoria y las espinacas.

Bata un huevo y revuelva con el sofrito; cueza en una sartén con un poco de aceite caliente.

Esta tortilla es de gran provecho para quienes padecen problemas de pulmones, especialmente si se trata de tuberculosis y para los desnutridos. Acompáñela con la ensalada.

Se sugiere remojar en agua las aceitunas, que por lo regular se consiguen en salmuera, por una o dos horas para desechar parte de la sal y el conservador.

Recetas culinarias

Aderezos y salsas

Alioli básico

10 dientes de ajo
Una yema de huevo
¼ de litro de aceite de oliva
Jugo de limón
Sal al gusto

Machaque perfectamente los dientes de ajo en un mortero, con un exprimidor de ajos o en la licuadora. Ablande con la yema y sazone con sal.

Poco a poco incorpore el aceite moviendo continuamente en el mismo sentido; añada de vez en vez unas gotas de limón para darle mejor consistencia y sabor a esta riquísima salsa.

ALIOLI PRÁCTICO

6 dientes de ajo grandes
¼ de litro de mayonesa

Muela los ajos en el mortero o en la licuadora hasta que la pasta esté homogénea; mezcle lentamente con la mayonesa.

Es un aderezo sencillo de preparar y le dará a sus vegetales frescos un sabor especial. También sobre pan solo o en sándwiches o tortas es exquisito. Úselo asimismo para botanas, entremeses, pastas y ensaladas.

CREMA DE AJO

100 g de crema
5 dientes de ajo machacados

Marine los dientes de ajo en la crema durante unas horas, mezcle cada hora y después retírelos. También puede licuar todo.

Desde luego, las cantidades pueden variar de acuerdo con el gusto. Se recomienda consumir el mismo día.

Chutney de mango

1 ½ k de mangos verdes picados
¾ de taza de sal
2 litros de agua
2 ½ tazas de vinagre de vino blanco
2 tazas de azúcar
Un jengibre fresco picado
9 dientes de ajo molidos
2 cucharaditas de chile de árbol en polvo
Una rajita de canela
½ taza de pasitas
½ taza de dátiles sin la semilla

Coloque el mango en un recipiente hondo de vidrio, mezcle con la sal y el agua; tape y mantenga en reposo durante 24 horas.

Al término de ese tiempo hierva el vinagre con el azúcar, moviendo hasta que ésta se disuelva. Añada el mango y los demás ingredientes; revuelva de vez en vez hasta que hierva.

Cuando empiece la ebullición, cocine a fuego lento durante hora y media o hasta que el chutney esté espeso, moviendo con suavidad cada 20 minutos.

Retire del fuego, deseche la canela y vacíe en frascos esterilizados secos que aún estén calientes.

La esterilización se realiza poniéndolos a hervir en agua durante diez minutos.

El chutney es un formidable complemento para platillos de la India u otros guisados. Asimismo, puede utilizarlo como mermelada.

MANTEQUILLA DE AJO

Una barrita de mantequilla
Ajo al gusto

Derrita la mantequilla y lícuela con el ajo, cuidando que no queden trocitos de éste. Posteriormente vierta en un molde y refrigere hasta que endurezca.

La mantequilla preparada de esta forma es excelente para untar en pan que después se hornea o tuesta. Es también un valioso sazonador para omelettes u otros platillos si se utiliza en vez de aceite.

Se asombrará cuando pruebe el magnífico toque que dará a sus comidas.

También puede añadir cilantro, epazote, perejil, hierbabuena y/o cebolla picados finamente.

MAYONESA DE ALMENDRAS

Un diente de ajo
12 almendras peladas
½ vaso de aceite de oliva
Una cucharada de caldo de verduras
Jugo de limón
Sal (opcional)

Muela el ajo, las almendras, la sal y el caldo. Poco a poco vierta el aceite sin dejar de mover. Cuando la mezcla esté homogénea, incorpore el jugo de limón.

Mayonesa de papa y ajo

Una papa grande cocida
Aceite de oliva
Ajo al gusto
Especias al gusto

Licue todo hasta que tenga una consistencia fina y los ingredientes estén bien integrados.

Salsa caliente

Una taza de mantequilla sin sal
¼ de taza de aceite de oliva
7 dientes de ajo picados
2 cucharadas de anchoas picadas (opcional)

Ponga a derretir la mantequilla en una cacerola pequeña, añada el aceite y el ajo y mantenga a fuego muy suave durante cinco minutos, sin que el ajo se dore. Integre las anchoas.

Después de otros cinco minutos retire del fuego y vacíe en un recipiente para *fondue*, coloque sobre una parrilla o lámpara de alcohol para conservar caliente sobre la mesa.

Esta salsa sirve perfectamente para aderezar vegetales fríos y puede acompañarse con palitos de pan.

SALSA DE AJO

4 cabezas de ajo
¼ de litro de aceite de oliva
Una pizca de sal
Una pizca de pimienta molida
Un limón, el jugo
¼ de cucharada de pimentón picante (opcional)

Hornee las cabezas de ajo a temperatura alta por 45 minutos. Cuando se hayan enfriado, muela y cuele. Adicione lentamente el aceite, la sal, la pimienta, el jugo de limón y, si lo desea, el pimentón. Refrigere.

SALSA DE PEPINO

½ pepino grande o uno pequeño en trozos
2 dientes de ajo
Sal al gusto
Un chorrito de agua
Una taza de yogur
Una rama de perejil picada
Pimentón en polvo

Al pepino córtele los extremos y talle cada uno con su tapita para quitarle lo amargo, hasta que deje de salir la espumita blanca, que retirará bien.

Licue el pepino con o sin cáscara, el ajo, la sal y el chorrito de agua. Cuele y mezcle con el yogur, el perejil y el pimentón.

Salsa verde

3 dientes de ajo
3 ramas de perejil, espinaca o lechuga
Una yema de huevo cocida
Aceite
Jugo de limón
Sal al gusto

Muela todo en el molcajete o en la licuadora.

Skordalia

4 dientes de ajo de buen tamaño
Un huevo
½ cucharadita de ralladura de cáscara de limón
Una taza de aceite de oliva
2 cucharadas de vinagre de vino blanco
2 cucharadas de jugo de limón
⅓ de taza de nueces tostadas molidas
Sal (opcional)

Licue los dientes de ajo, el huevo, la sal y la ralladura de limón a velocidad media. Sin apagar añada lentamente la mitad del aceite hasta que se incorpore bien.

Tras dejar descansar unos segundos el motor de su licuadora, incorpore el vinagre, el jugo de limón y el resto del aceite.

Vierta en la salsera y adorne con las nueces.

Vinagreta de ajo

200 ml de aceite de oliva
75 ml de vinagre de manzana
7 dientes de ajo picados
Una pizca de chile piquín en polvo
Una pizca de orégano en polvo
Una pizca de azúcar
Un limón, el jugo
Sal (opcional)

Mezcle todos los ingredientes y deje reposar una hora. Puede refrigerar para que se conserve bien. Se recomienda removerla antes de servirla.

Ensaladas

Regularmente a las ensaladas se les prepara con ajo, ya sea picado, ya sea con el aderezo.

Pero, independientemente de que lo utilice en cualesquiera de dichas formas, es recomendable friccionar la ensaladera con un diente de ajo partido a la mitad para que imparta un delicioso y sutil sabor a la verdura.

Los franceses acostumbran untar con aceite de oliva unos trocitos de pan y frotarlos con ajo. Luego los

acomodan en el fondo de la ensaladera, colocan la ensalada y revuelven todo. Después de un reposo de aproximadamente 20 minutos retiran el pan y la ensalada queda lista para servirse.

Ingredientes indispensables

Se recomienda comer diariamente por lo menos una vez al día una ensalada cruda con varios de los siguientes vegetales:

Aguacate, acelga, apio, berro, betabel cocido, cilantro, col, espinaca, germinados, hierbabuena, hinojo, jícama, jitomate, lechuga, nabo, nopal, perejil, rábano, zanahoria, etcétera.

Aderece con aceite de oliva, aceitunas desaladas, ajo, cebolla, jugo de limón (no en caso de incluir jitomate), y una cucharada de máximo dos semillas oleaginosas peladas, que son fuente abundante de minerales y proteínas: ajonjolí, almendras, avellanas, cacahuates, girasol, nueces, pepitas, piñones, etcétera.

En páginas previas se incluyen diversas recetas para elaborar nutritivos aderezos y salsas.

Se recomienda incluir alimentos básicamente de tres colores: blancos, verdes, anaranjados o rojos, que dan equilibrio energético a la vez que son atractivos para la vista.

El propósito de incluir una ensalada cruda en la alimentación diaria es alcalinizar el organismo; facilitar los procesos digestivos; proporcionar en abundancia fibra, vitaminas y minerales, varios de ellos precursores de salud, belleza y juventud.

También ayuda a la dentadura, ya que muchos de los alimentos cocidos acidifican la saliva, lo cual favorece la formación de caries.

Si por problemas dentales o de cualquier otro tipo no es posible consumir una ensalada, no piense que tendrá que privarse de sus beneficios, toda vez que puede licuar los ingredientes y tomarlos como puré.

Sopas

CREMA DE AJO

½ k de papa
Una cabeza de ajo pelada
¼ de cebolla en rebanadas
Una rama de hierbabuena
½ cucharada de semilla de cilantro molida

Agua
Aceite

Hierva las papas con todo y cáscara con poca agua; lícuelas con su propia agua y el ajo. Caliente el aceite en la cacerola y sofría la cebolla; vierta el puré de papa y ajo, y cuando empiece el hervor, añada la hierbabuena, la sal y la semilla de cilantro.

Cueza a fuego suave unos minutos y apague. Sirva con pan tostado y mantequilla.

ESPAGUETI EXQUISITO

6 dientes de ajo
2 huevos
Una cucharadita de nuez moscada
2 ramas de perejil picado
Una cucharada de orégano en polvo
250 g de espagueti semicocido
100 g de queso parmesano

Mezcle el ajo, los huevos, la nuez moscada, el perejil y el orégano; si lo desea, utilice la licuadora. Revuelva con el espagueti y acomode en un refractario extendido; cubra con el queso. Hornee a 200° Celsius hasta que el queso se dore. Sirva de inmediato.

SOPA DE AJO

6 dientes de ajo en mitades
1 ½ litros de agua o caldo de pollo o verduras
Una cucharada de aceite
Una cucharada de pimentón o semilla de cilantro molida
4 rebanadas de pan frito o tostado cortado en cubos (crotones)
Sal al gusto

Talle los dientes de ajo en la cacerola y déjelos en ella, añada el agua o el caldo y hierva a fuego suave. Al soltar el hervor incorpore el aceite y el pimentón, mantenga hirviendo durante tres minutos y sazone con sal. Sirva con los crotones.

SOPA DE AJO Y HUEVO

Un litro de agua
5 dientes de ajo
Aceite al gusto
Pimentón o epazote al gusto
Sal al gusto
2 huevos ligeramente batidos
Pan de caja o bolillo cortado en tiras

Hierva el agua con sal. Machaque los dientes de ajo con aceite y pimentón. Añada al agua y deje a

fuego suave. Cuando suelte el hervor, agregue los huevos y el pan. Tape, apague el fuego y deje en reposo 15 minutos.

SOPA DE CEBOLLA Y AJO

Una cebolla grande en rodajas
Una cucharada de harina
1 ½ litros de caldo de pollo
5 dientes de ajo machacados
4 rebanadas de pan frito
200 g de queso manchego o Chihuahua rallado
Sal al gusto
Aceite

En una cacerola caliente el aceite y fría la cebolla; cuando esté dorada incluya la harina para dorarla también. Agregue el caldo, la sal y el ajo; cueza durante 10 minutos.

Vierta en un refractario, coloque encima el pan y espolvoree el queso. Hornee hasta que el queso se dore.

Sopa de pescado

10 almendras tostadas
8 dientes de ajo
Una cucharadita de azafrán
Una cebolla mediana picada
4 jitomates picados
½ kg de pescado en trozos
2 litros de agua, caldo de pollo o de verduras
Sal y pimienta al gusto
Aceite de oliva

Machaque las almendras, dos dientes de ajo, el azafrán y un poco de aceite y reserve.

Caliente un poco de aceite en una cacerola, fría la cebolla, cuatro dientes de ajo picados y el jitomate. Agregue el pescado y el caldo, sazone con sal y pimienta y deje a fuego moderado durante una hora.

Al término de ese tiempo retire del fuego y añada la pasta de almendras.

Sopa de tuétano

Una botella de vino blanco
2 tazas de agua
2 cucharaditas de curry
Una cucharadita de polvo de mostaza
$\frac{1}{4}$ de cucharadita de pimienta negra molida
4 tuétanos
8 dientes de ajo frescos y grandes
4 cucharadas de cebolla picada
2 rabos de cebollina picada finamente
Un huevo por cada plato (opcional)
Aceite de ajonjolí (opcional)
Consomé de res o de verduras

Vierta dos tazas de vino en una cacerola u olla con tapa, incorpore el curry, la mostaza y la pimienta, disuelva y añada después las dos tazas de agua y los tuétanos. Ponga al fuego; cuando hierva, baje la lumbre y agregue los dientes de ajo dentro de una bolsita de manta. Cueza durante hora y media tapado.

Al término de ese tiempo, agregue la cebolla y lo que resta del vino. Hierva a fuego medio sin la tapa durante 10 o 15 minutos; retire la bolsita con los dientes de ajo.

En caso de querer la sopa más ligera, añada consomé de res o de verduras.

Sirva muy caliente. Si lo desea, estrelle un huevo en cada plato antes de verter el caldo, añada cebollina picada y una cucharada de aceite de ajonjolí.

SOPA TRADICIONAL DE AJO Y HUEVO

5 rebanadas de pan seco
9 dientes de ajo picados finamente
Una cucharadita de pimentón dulce
5 huevos
Un litro de agua muy caliente
4 cucharadas de aceite
Sal al gusto
Pimienta al gusto (opcional)
Epazote (opcional)

Fría el ajo en aceite caliente; cuando esté un poco dorado, fría también el pan; luego incorpore el pimentón, mezcle bien y retire del fuego. Mientras fríe, hierva el agua y sazone con sal y pimienta.

Divida la fritura en cinco porciones, colóquelas en cinco platos refractarios o de barro y estrelle un huevo encima de cada uno.

Vierta el agua hirviente con cuidado, cueza durante 15 minutos y sirva caliente. Si le agrada, puede añadir epazote durante el hervor.

TALLARINES CON AJO

350 g de tallarines
¼ de cebolla en rodajas
6 cucharadas de aceite de oliva
5 dientes de ajo machacados
2 cucharadas de perejil o albahaca picados
Sal y pimienta al gusto
Agua

Cueza los tallarines en agua hirviendo, con sal y cebolla durante 10 minutos. Escurra. Aparte, caliente durante cinco minutos el aceite y el ajo, después añada la pimienta y el perejil o la albahaca; revuelva perfectamente.

Incorpore los tallarines y mezcle bien con el aceite. Sirva de inmediato.

Guisados

BERENJENA DORADA AL ESTILO CHINO

¼ de taza de camarones secos o
Una cucharada de gomasio
½ taza de agua tibia
Una berenjena grande
4 cucharadas de aceite
10 dientes de ajo
Una cucharada de salsa de soya
Una cucharada de vino chino de arroz o jerez seco
Una cucharadita de azúcar

Remoje los camarones o el gomasio en el agua tibia por media hora. Corte la berenjena en rebanadas de un centímetro. En una cacerola caliente vierta el aceite y, tras medio minuto a fuego medio, añada el ajo y la berenjena.

Baje la lumbre y cocine durante 15 minutos o hasta que se doren. Mueva y agregue la salsa de soya, el vino, el azúcar y los camarones o el gomasio con su agua.

Tape la cacerola y continúe la cocción unos diez minutos o hasta que desaparezca el líquido. Puede servirse frío o caliente.

Gomasio

7 medidas de ajonjolí
Una medida de sal de grano

Tueste a fuego muy bajo el ajonjolí bien limpio y la sal. Retire del calor cuando el ajonjolí aumente de tamaño; si lo desea, dórelo ligeramente. No permita que se queme, pues adquirirá un sabor amargo.

Licue todo en seco o muélalo en el molcajete.

El gomasio es un acompañante magnífico para las ensaladas, el arroz y multiplicidad de guisados, cuyos sabores acrecienta y enriquece. Si no desea comer sal, no la utilice.

Berenjena hindú

Un kilo de berenjenas
3 cucharadas de mantequilla
3 cebollas medianas picadas
7 dientes de ajo molidos
Un jengibre fresco de unos 6 cm molido
2 chiles verdes picados y desvenados
½ manojo de cilantro picado
Una cucharadita de cúrcuma
Una cucharadita de comino molido
Una cucharadita de sal
¾ de taza de yogur
2 cucharaditas de azúcar

Hornee a 180°C las berenjenas durante 45 o 60 minutos o hasta que suavicen. Ya tibias, hágalas puré.

Derrita la mantequilla en una sartén; dore las cebollas y añada los dientes de ajo, el jengibre y los chiles para freírlos unos tres minutos. Integre el cilantro, la cúrcuma y el comino, que estarán al fuego sólo un minuto, para agregar el puré de berenjena y la sal.

Remueva durante cinco minutos y apague. Mezcle con el yogur y el azúcar, y listo. De preferencia sirva en moldes calientes.

CAMARONES AL AJO

Camarones
10 dientes de ajo picados por cada kilo de camarón
Chiles jalapeños picados
Aceite
Sal
Agua

Hierva el agua con sal. Remoje los camarones menos de un minuto. Sáquelos, ya fríos quite las cabezas, los caparazones y las colas.

Acomode los camarones en cazuelitas individuales, distribuya los dientes de ajo y los chiles en cada una, rocíe con aceite caliente y póngalas al fuego hasta que se doren los ajos. Sirva caliente.

CHÍCHAROS CON QUESO
(Receta de la India)

¼ de taza de sgee o mantequilla clarificada
Un jengibre de unos 5 cm picado
6 dientes de ajo molidos
1 ½ cucharaditas de semillas de cilantro
Un cucharadita de cúrcuma
½ cucharadita de semillas de cardamomo
½ cucharadita de chile de árbol en polvo

½ kilo de chícharos frescos pelados
350 g de queso de cabra
4 jitomates picados
Una rama de cilantro picada

Sgee o mantequilla clarificada

Ponga la mantequilla en una cacerola gruesa a fuego muy lento. No permita que la mantequilla se queme, por lo cual deberá evitar que hierva. Déjela reposar media hora o hasta que se evapore la humedad y se asienten las partículas sólidas.

Retire del fuego y pase la mantequilla derretida por un cedazo repetidas veces.

Es conveniente hacer una cantidad mayor que la necesaria para preparar los chícharos con queso, con el objeto de tenerla a mano para otros guisados.

La que no vaya a utilizar guárdela en un frasco de vidrio en un lugar fresco y seco, donde no le dé la luz del sol.

Esta mantequilla clarificada o *sgee* es más sana que la mantequilla común, en especial si se desea evitar el colesterol.

Preparación del platillo

Derrita el *sgee* en una cacerola, integre el jengibre y el ajo, que dejará freír durante unos tres minutos, moviendo de vez en vez. Añada las semillas de cilantro, la cúrcuma, el cardamomo y el chile. Si es necesario, adicione una o dos cucharadas de agua.

Incorpore los chícharos y cueza a fuego lento diez minutos. Posteriormente agregue el queso y los jitomates manteniendo en el fuego otros diez minutos.

Sirva caliente y adorne con el cilantro picado.

HUEVOS EN SALSA DE AJO

5 huevos duros pelados
4 cucharadas de cebolla picada
3 cucharadas de mayonesa
2 cucharadas de perejil picado
10 dientes de ajo grandes
5 filetes de anchoa (opcional)
Una yema de huevo
100 ml de aceite
Sal y pimienta al gusto
Agua

Corte los huevos en mitades a lo largo y retire cuidadosamente las yemas. Licuelas con la cebolla, la mayonesa, el perejil y sal al gusto.

Rellene las mitades de huevo con la pasta resultante.

Salsa de ajo

Ponga en agua hirviente los dientes de ajo y cueza durante 15 minutos; pélelos y macháquelos en un mortero o molcajete; después añada las anchoas y muélalas también. Añada la yema y posteriormente el aceite poco a poco sin dejar de mezclar.

Sazone con sal y pimienta y vierta en una fuente; acomode los huevos encima.

Pollo al ajo

Un pollo grande en piezas
6 dientes grandes de ajo picados
2 chiles serranos
½ litro de vino blanco
Aceite
Sal

Fría el pollo sazonado con sal y páselo a una cazuela de barro. Dore con aceite el ajo y el chile. Retire del fuego y revuelva con el vino. Vierta en la cazuela y cocine hasta que se consuma el líquido. Sirva caliente.

Pollo mil ajos

Un pollo grande en piezas
Una cabeza de ajo
Un limón
Una cucharadita de pimienta
Una cucharadita de sal
Una cucharada de aceite
Harina
Agua
Aceite

Sazone el pollo con sal y pimienta y póngalo en una cazuela de barro o un refractario con los dientes de ajo. Tape y selle con una masita que preparará con harina, agua y poco aceite. Hornee a calor moderado durante 90 minutos.

Sirva caliente acompañado con ensalada y arroz blanco.

PURÉ DE ESPINACAS

½ kilo de espinacas
6 dientes de ajo
Mantequilla al gusto
Agua
Sal al gusto

Hierva las espinacas con poca agua durante unos minutos o cuézalas al vapor. Licue los dientes de ajo con la sal y un poco de agua y después muela con las espinacas cocidas.

Derrita la mantequilla en una cacerola y vierta el puré; cueza a fuego lento mezclando constantemente hasta que tome la consistencia que usted desee. Sirva caliente; puede acompañar con galletas o cubitos de pan tostado o frito.

Conservas

Ajos en escabeche

Una cabeza grande de ajo
Vinagre de alcohol

Ponga la cabeza de ajo en un frasco, cubra con el vinagre, tape y mantenga en reposo una semana o más, de acuerdo con la consistencia que desee.

Botana exquisita

Una taza de aceitunas verdes
Una taza de cebollitas cambray
$1/3$ de taza de dientes de ajo
$1/2$ taza de salsa inglesa
$1/2$ taza de aceite de oliva
$1/2$ taza de vinagre de vino
$1/3$ de taza de agua

Marine los ajos en el vinagre en un frasco tapado durante una semana; luego añada los otros ingredientes y deje tres días más. A sus invitados les encantará.

El líquido que sobre le servirá como vinagreta para sus ensaladas.

Setas y ajo

6 setas grandes frescas en rebanadas finas
2 cabezas de ajo peladas
¼ de litro de aceite de oliva
½ litro de vinagre de manzana

Mezcle todo en un frasco de un litro o litro y medio de capacidad. Tape y guarde durante un mes en un lugar fresco, seco y donde no le dé la luz solar. Si desea mantener la conserva por más tiempo, cambie el líquido por vinagre puro.

El primer líquido es una estupenda vinagreta para sus ensaladas.

Verduras en escabeche

2 cabezas grandes de ajo
10 zanahorias en rodajas
½ kilo de papas chicas a la mitad
2 cebollas grandes en rodajas
¼ de kilo de chiles serranos frescos
Vinagre de vino

Revuelva los ingredientes excepto el vinagre, distribuya en frascos ocupando sólo tres cuartos del espacio, y luego cubra con el vinagre. Tape y guarde durante varios días a la sombra en lugar seco.

Propiedades mágicas

La astrología médica señala que el planeta que rige al ajo *es* Marte.

En la magia tradicional europea se clasifica tanto a las plantas como a los metales con base en su influencia planetaria, a fin de que ésta se aproveche con fines mágicos para elaborar talismanes y armas mágicas.

Puesto que el planeta Marte se relaciona con el dios guerrero del mismo nombre, el ajo se emplea como talismán de protección contra malas influencias y como arma mágica.

El color que se relaciona con Marte es el rojo, toda vez que indica combatividad y fuerza.

Es conocido el papel que juega el ajo a nivel popular para ahuyentar malos espíritus, influencias negativas y hasta vampiros. Para tal propósito se forman trenzas de ajos recién cosechados que se cuelgan en las ventanas y puertas.

También es costumbre, en algunas partes de Europa, colgar un ajo macho de un hilo para traer en el cuello como si fuese un collar, para no permitir que se acerquen a la persona tanto vampiros como brujas y seres espirituales negativos.

Asimismo, se emplea el ajo contra ataques de brujas, y es frecuente que las madres o abuelas coloquen en la cabecera de la cuna del bebé una cabeza de ajo si no se le ha bautizado, para mantener lejos a los seres nefastos.

En el sur de Francia se realiza el ritual del fuego a mitad del verano, con la finalidad de preservar la fertilidad de la naturaleza y alejar de los cultivos toda mala influencia. En esa celebración se tuestan cantidades considerables de ajo, que se reparten a las familias para que todos participen de esa protección.

En Sumatra el ajo, así como el arroz y el higo, se emplean para hacer que el alma regrese al cuerpo del que se ha alejado.

Cómo emplear el ajo para protegerse

Tradicionalmente el ajo macho se utiliza con fines esotéricos. Ello es así puesto que la fuerza de Marte es masculina, por ello el talismán de mayor poder se hace con la parte masculina de la planta. Así se redoblan las fuerzas mágicas.

Como el color que corresponde a Marte es el rojo, se pueden reforzar todavía más las fuerzas protectoras de un amuleto con el auxilio de un listón rojo para trenzar los ajos machos.

De ser posible hay que utilizar un aro de hierro como guía para formar una corona de ajos, ya que ese metal es el elemento de Marte.

Según esta concepción, Marte es el guardián y el ajo el instrumento de defensa.

En México es común hallar esas coronas a la venta en los mercados, y como fuerzas protectoras en algunos comercios y casas, donde se colocan a un lado o sobre la puerta principal para alejar envidias, mal de ojo, negatividad y fuerzas malignas, a fin de tener buenas ventas y asegurar un hogar feliz.

Para proteger un vehículo, se colocan unos dientes de ajo macho bajo los asientos.

También se portan en la bolsa o en el monedero, a fin de que no falte el dinero. En estos casos se utilizan ajos japoneses, que son pequeños y de cáscara dura.

Los ajos ya secos se envuelven en periódico y una bolsa de plástico para tirarlos a la basura.

Libere de plagas el jardín

Aparte de su capacidad bactericida, el ajo es asimismo un poderoso pesticida que mantendrá su jardín libre de plagas.

La planta de ajo, además de todas las maravillosas propiedades que posee, también tiene un efecto en su entorno, ya que lo conserva limpio de bichitos.

Sin embargo, es posible que algunas plantas no se sientan a gusto con un ajo como vecino permanente, por lo que será bastante razonable tenerlo a cierta distancia de las demás.

Si en su jardín hay alguna plaga, rociarlo con una solución de ajo le ayudará a limpiarlo de ella.

Tres maneras de prepararla son las siguientes:

Receta 1

Una cabeza de ajo pelada
Un litro de agua

Licue con una parte del agua hasta que no queden grumos. Cuele el puré a través de un cedazo y añada al líquido el resto del agua.

Vacíe en un aspersor o rociador y aplíquelo en donde sea necesario. Evite rociar a los insectos que no sean nocivos.

Receta 2

100 g de dientes de ajo picados
2 cucharadas de aceite mineral
　　(puede usar aceite para bebé)
25 g de jabón de coco
Agua

Disuelva el jabón en un litro de agua. Ponga a marinar el ajo en el aceite durante 24 horas. Al término de ese tiempo vierta lentamente el agua de jabón al aceite con ajo y mezcle perfectamente. Cuele con un cedazo fino.

Para rociar en el jardín, disuelva una parte de esta sustancia en 20 partes de agua. Esta proporción se utiliza solamente la primera vez. Las ocasiones subsecuentes, en caso de que sea necesario rociar de nuevo, redúzcala hasta llegar a una por 100.

Emplee un aspersor a presión o una botella de plástico con atomizador. Es importante que no guarde el pesticida en un recipiente de metal, ya que se echaría a perder.

Receta 3

100 g de eucalipto
30 g de romero
50 g de flores de manzanilla
50 g de salvia
Una cebolla grande
Una cabeza de ajo mediana
3 litros de agua

Caliente un litro de agua; cuando entre en ebullición añada el eucalipto y el romero. Baje el volumen del fuego y después de cinco minutos incorpore la manzanilla y la salvia. Apague, tape y deje en reposo hasta que se enfríe.

Cuele con un cedazo fino y licue la cuarta parte con la cebolla y los dientes de ajo pelados. Cuele y añada el resto del té. Diluya con dos litros de agua.

Ahora ya puede verter en el aspersor y rociar su jardín.

Cualesquiera de estas recetas le permitirá tener un jardín sano y evitar que personas y mascotas se contaminen con pesticidas químicos. Si desea, introduzca otros ingredientes o varíe las combinaciones o las cantidades.

Cultive su propio ajo

El ajo es fácil de cultivar y puede desarrollarse en cualquier tierra, pero es más conveniente utilizar tierra arenosa de buena calidad.

Si los ajos que tiene guardados ya germinaron, ¡magnífico! Separe los dientes de ajo y plántelos a cinco centímetros de profundidad, distantes entre sí unos 15 cm. Si son grandes, duplique la profundidad y aumente la distancia.

También puede plantarlos aunque no estén germinados.

La mejor época es cuando terminan los fríos, o sea, al aproximarse la primavera. Al ajo le hace bien el sol, no así el frío y la humedad, que no le permiten crecer. Busque en su jardín el lugar más propicio, de preferencia mirando hacia el Sur. Protéjalo de los vientos y humedad del Norte.

Esto no significa que se deje secar la tierra. Hay que regar para evitar que se seque, pero no inundar de agua.

Si usted siembra el ajo en una maceta o en una caja de madera, puede acomodarlo en un sitio donde reciba abundante sol.

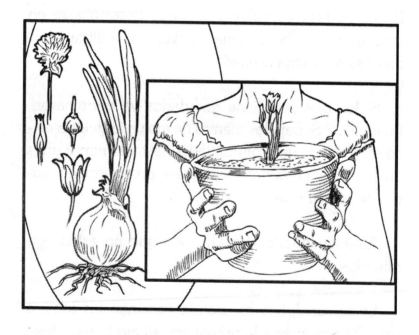

De hecho, esto es lo fundamental en cuanto al cultivo. Por supuesto que habrá que mantener libre de otras hierbas la zona.

Los ajos que usted plante en marzo estarán listos para cosechar en agosto o septiembre, cuando las hojas comiencen a marchitarse.

Cuando están frescos, los ajos poseen aroma y sabor penetrantes, cualidades que son muy apreciables en los guisos que lo tienen como ingrediente importante.

De hecho el ajo seco (no el deshidratado) tiene las mismas propiedades que el fresco. Puede conservar muy bien su cosecha si trenza los tallos, dejando los bulbos en la parte baja. Cuelgue la trenza en un lugar seco y ya tiene una reserva ¡hasta por un año!

También puede conservar los ajos sin tallos en una red larga y angosta o prepararlos en recetas de cierta duración, como mantequilla, aceite, vinagreta y escabeche.